YOUNG Series™

THIS BOOK BELONGS TO:

____

YOUNG SERIES RAD READER

YOUNG JOHN D. ROCKEFELLER

IN

"SMART SAVER"

EL JOVEN JOHN D. ROCKEFELLER EN AHORRANDO INTELIGENTEMENTE

BY LEVI LEYBA

godpubhouse.com

ENGLISH ALPHABET

Aa [a] Bb [bee] Cc [cee] Dd [dee] Ee [e] Ff [ef] Gg [gee] Hh [aitch] Ii [i]

Jj [jay] Kk [kay] Ll [el] Mm [em] Nn [en] Oo [o] Pp [pee] Qq [cue] Rr [ar]

Ss [ess] Tt [tee] Uu [u] Vv [vee] Ww [double-u] Xx [ex] Yy [wy(e)] Zz [zee]

EL ALFABETO ESPAÑOL

Aa	Bb	Cc	CH ch	Dd	Ee	Ff	Gg	Hh	Ii
[ah]	[beh]	[seh]	[cheh]	[deh]	[eh]	[ef-eh]	[heh]	[ach-eh]	[ee]

Jj	Kk	Ll	LL ll	Mm	Nn	Ññ	Oo	Pp	Qq
[hota]	[kah]	[el-eh]	[eh-jeh]	[em-eh]	[en-eh]	[en-yeh]	[oh]	[peh]	[cuh]

Rr	RR rr	Ss	Tt	Uu	Vv	Ww	Xx	Yy	Zz
[er-eh]	[e-rreh]	[es-eh]	[teh]	[oo]	[ve]	[dob-leh-oo]	[eh-kis]	[ee-gri-eh-gah]	[se-tah]

HOPE ONE

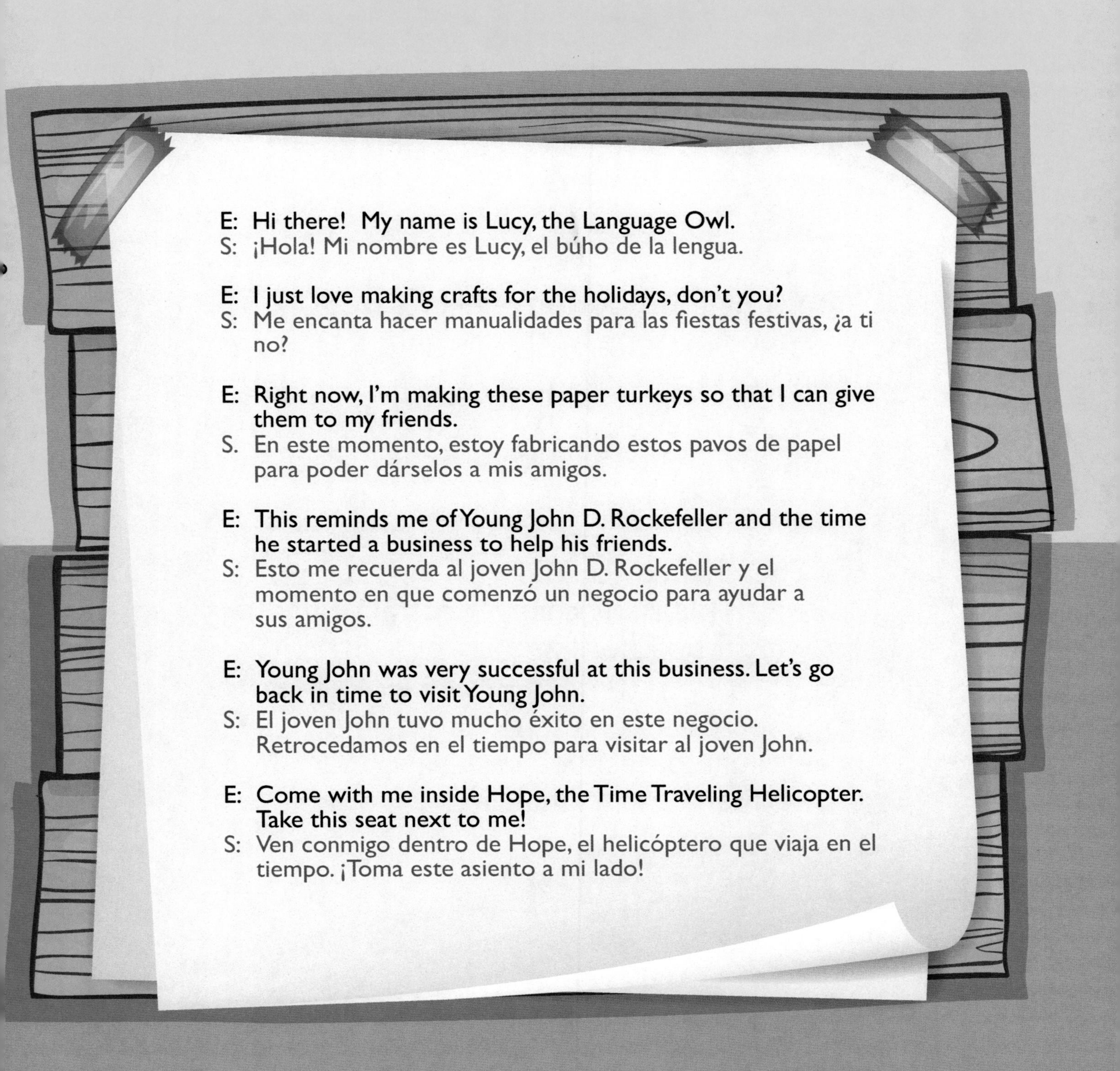

E: Hi there! My name is Lucy, the Language Owl.
S: ¡Hola! Mi nombre es Lucy, el búho de la lengua.

E: I just love making crafts for the holidays, don't you?
S: Me encanta hacer manualidades para las fiestas festivas, ¿a ti no?

E: Right now, I'm making these paper turkeys so that I can give them to my friends.
S. En este momento, estoy fabricando estos pavos de papel para poder dárselos a mis amigos.

E: This reminds me of Young John D. Rockefeller and the time he started a business to help his friends.
S: Esto me recuerda al joven John D. Rockefeller y el momento en que comenzó un negocio para ayudar a sus amigos.

E: Young John was very successful at this business. Let's go back in time to visit Young John.
S: El joven John tuvo mucho éxito en este negocio. Retrocedamos en el tiempo para visitar al joven John.

E: Come with me inside Hope, the Time Traveling Helicopter. Take this seat next to me!
S: Ven conmigo dentro de Hope, el helicóptero que viaja en el tiempo. ¡Toma este asiento a mi lado!

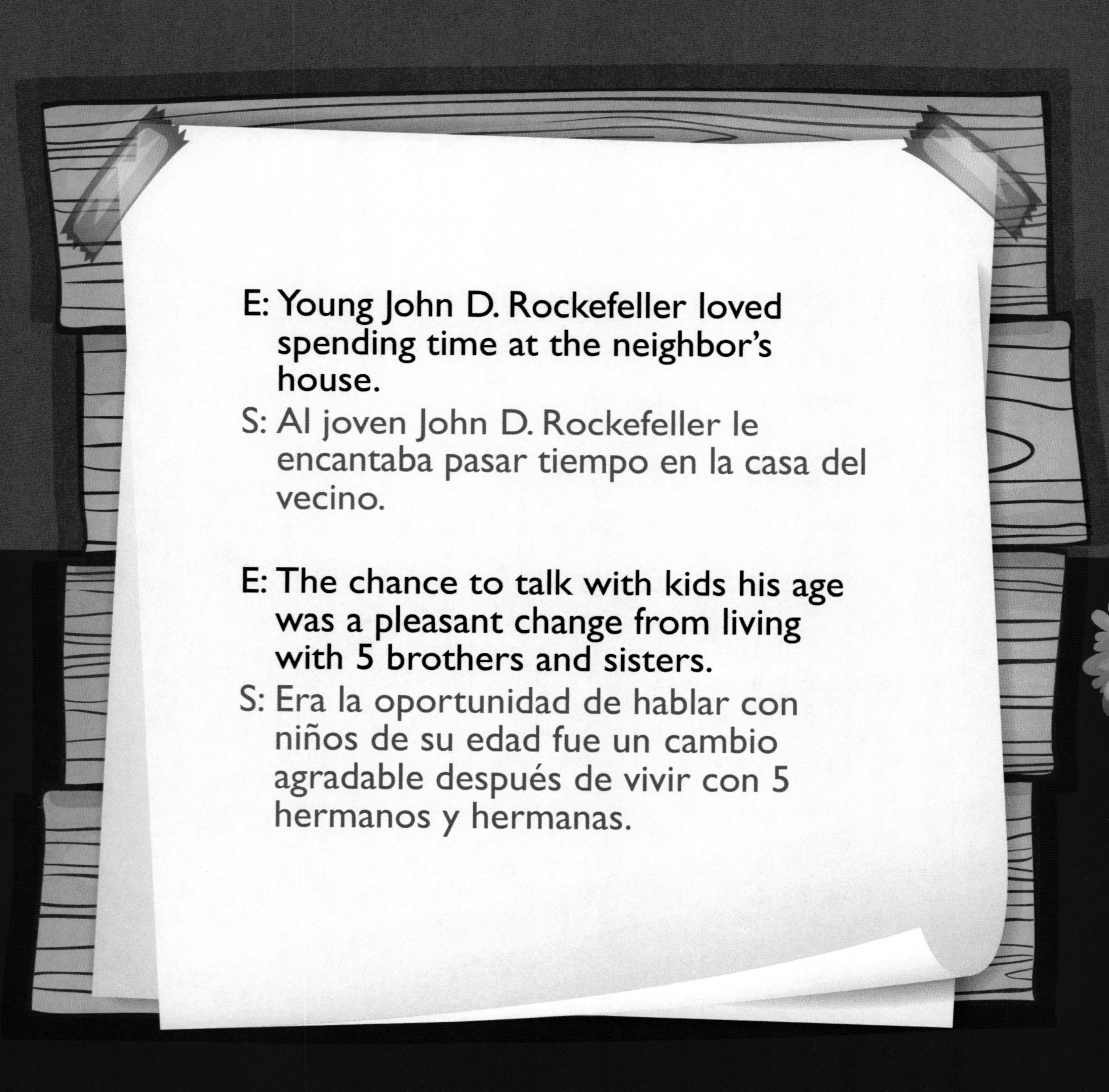

E: Young John D. Rockefeller loved spending time at the neighbor's house.

S: Al joven John D. Rockefeller le encantaba pasar tiempo en la casa del vecino.

E: The chance to talk with kids his age was a pleasant change from living with 5 brothers and sisters.

S: Era la oportunidad de hablar con niños de su edad fue un cambio agradable después de vivir con 5 hermanos y hermanas.

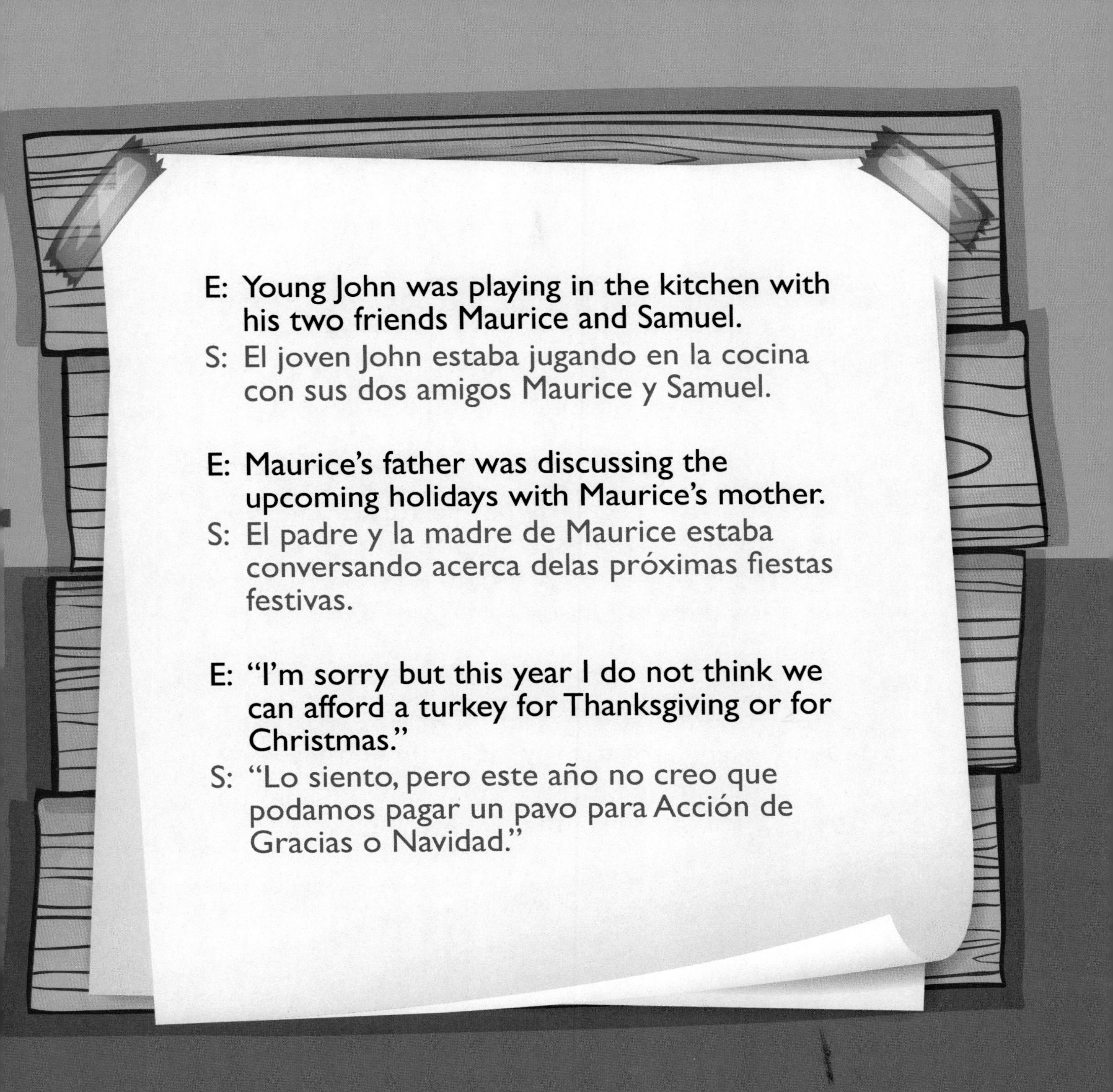

E: Young John was playing in the kitchen with his two friends Maurice and Samuel.

S: El joven John estaba jugando en la cocina con sus dos amigos Maurice y Samuel.

E: Maurice's father was discussing the upcoming holidays with Maurice's mother.

S: El padre y la madre de Maurice estaba conversando acerca delas próximas fiestas festivas.

E: "I'm sorry but this year I do not think we can afford a turkey for Thanksgiving or for Christmas."

S: "Lo siento, pero este año no creo que podamos pagar un pavo para Acción de Gracias o Navidad."

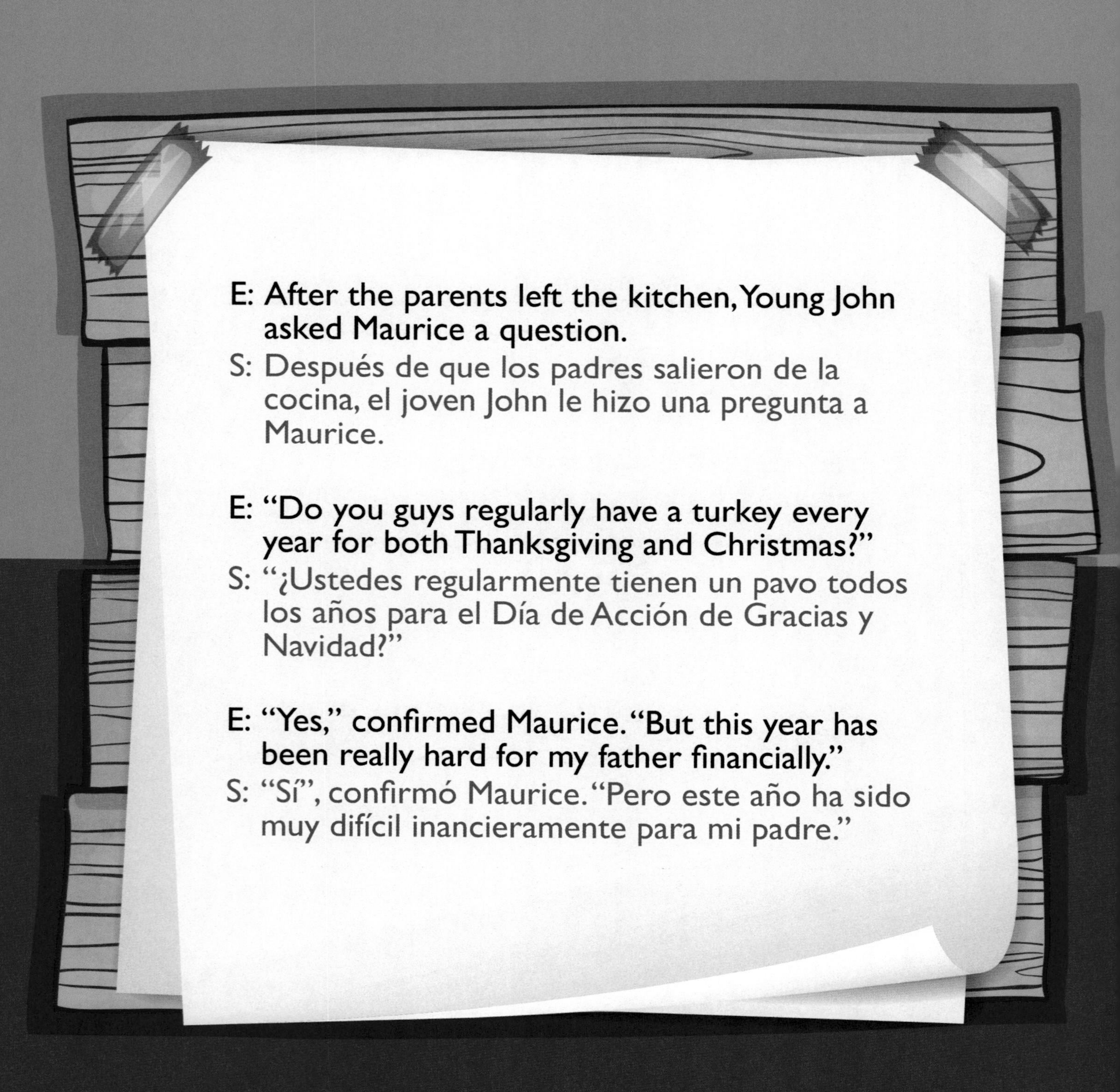

E: After the parents left the kitchen, Young John asked Maurice a question.

S: Después de que los padres salieron de la cocina, el joven John le hizo una pregunta a Maurice.

E: "Do you guys regularly have a turkey every year for both Thanksgiving and Christmas?"

S: "¿Ustedes regularmente tienen un pavo todos los años para el Día de Acción de Gracias y Navidad?"

E: "Yes," confirmed Maurice. "But this year has been really hard for my father financially."

S: "Sí", confirmó Maurice. "Pero este año ha sido muy difícil inancieramente para mi padre."

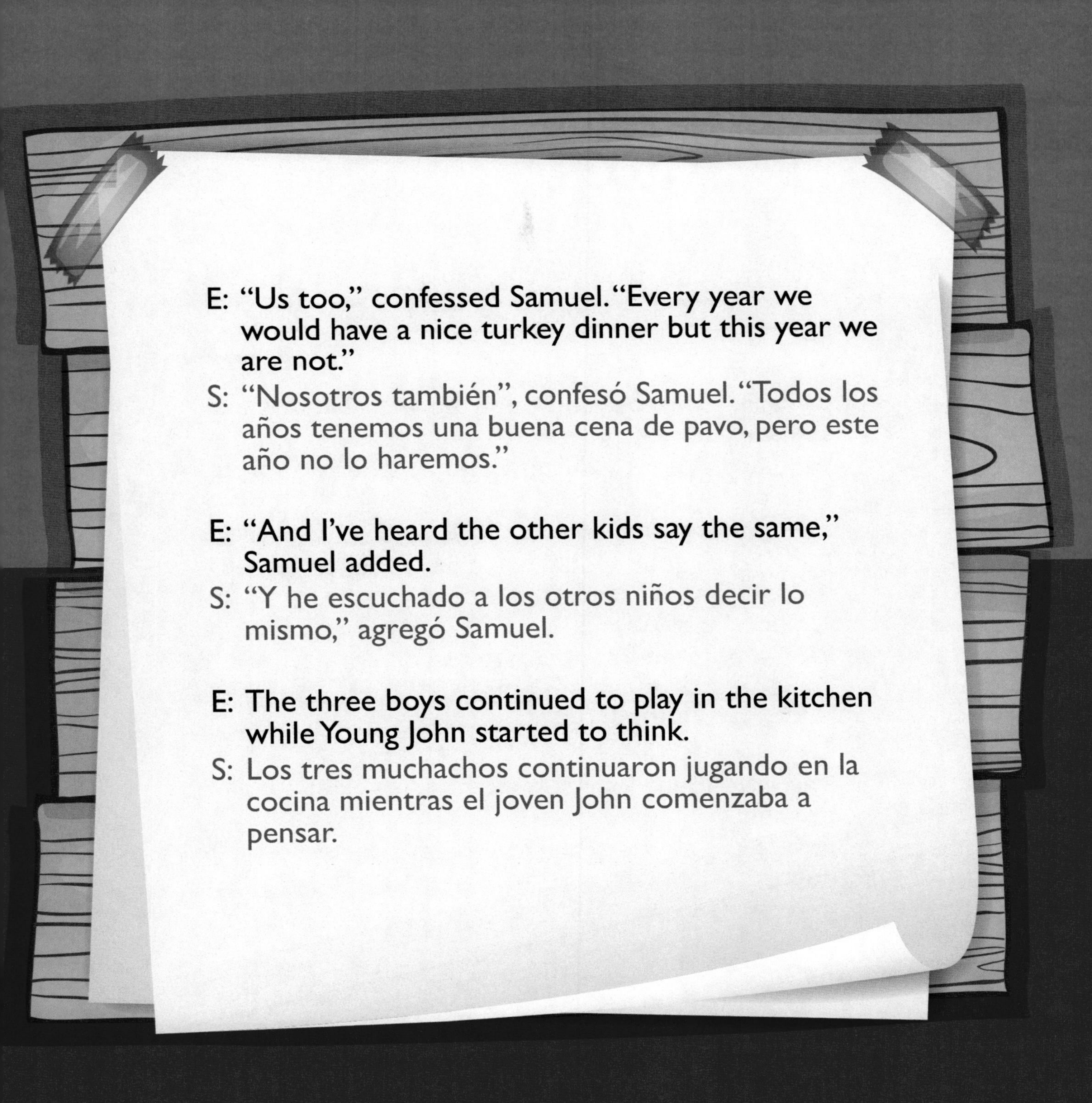

E: “Us too,” confessed Samuel. “Every year we would have a nice turkey dinner but this year we are not.”

S: “Nosotros también”, confesó Samuel. “Todos los años tenemos una buena cena de pavo, pero este año no lo haremos.”

E: “And I’ve heard the other kids say the same,” Samuel added.

S: “Y he escuchado a los otros niños decir lo mismo,” agregó Samuel.

E: The three boys continued to play in the kitchen while Young John started to think.

S: Los tres muchachos continuaron jugando en la cocina mientras el joven John comenzaba a pensar.

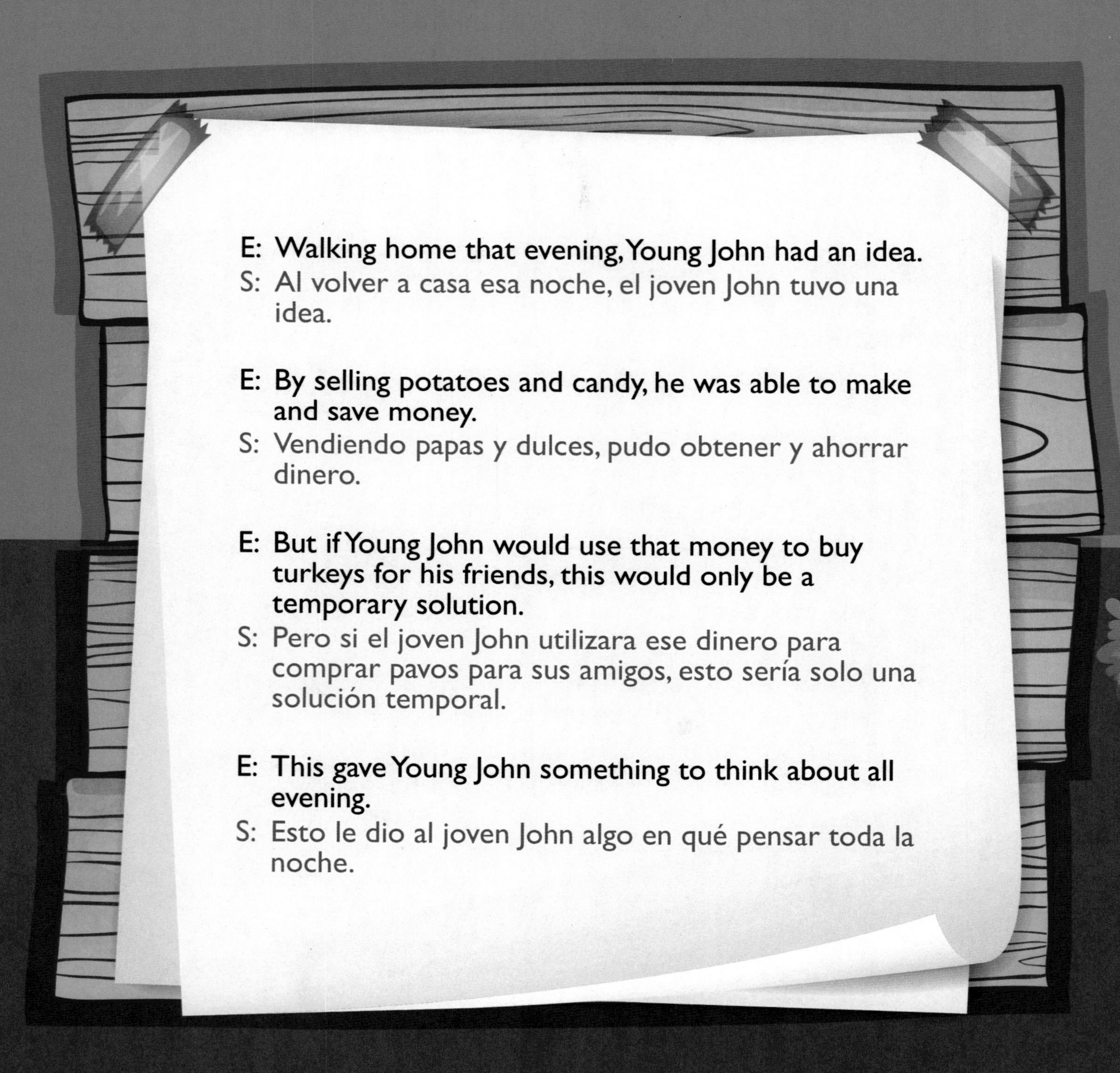

E: Walking home that evening, Young John had an idea.
S: Al volver a casa esa noche, el joven John tuvo una idea.

E: By selling potatoes and candy, he was able to make and save money.
S: Vendiendo papas y dulces, pudo obtener y ahorrar dinero.

E: But if Young John would use that money to buy turkeys for his friends, this would only be a temporary solution.
S: Pero si el joven John utilizara ese dinero para comprar pavos para sus amigos, esto sería solo una solución temporal.

E: This gave Young John something to think about all evening.
S: Esto le dio al joven John algo en qué pensar toda la noche.

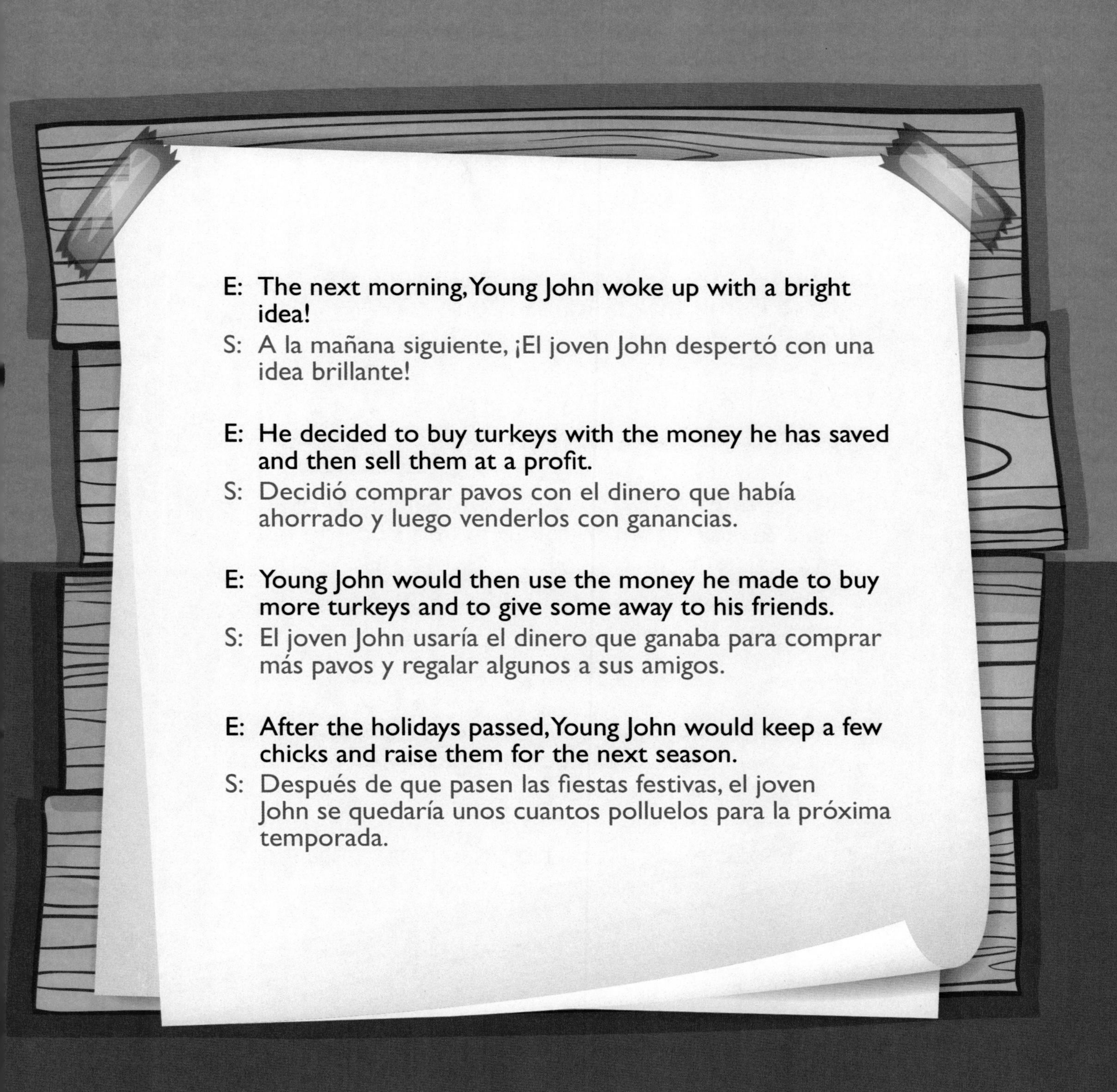

E: The next morning, Young John woke up with a bright idea!

S: A la mañana siguiente, ¡El joven John despertó con una idea brillante!

E: He decided to buy turkeys with the money he has saved and then sell them at a profit.

S: Decidió comprar pavos con el dinero que había ahorrado y luego venderlos con ganancias.

E: Young John would then use the money he made to buy more turkeys and to give some away to his friends.

S: El joven John usaría el dinero que ganaba para comprar más pavos y regalar algunos a sus amigos.

E: After the holidays passed, Young John would keep a few chicks and raise them for the next season.

S: Después de que pasen las fiestas festivas, el joven John se quedaría unos cuantos polluelos para la próxima temporada.

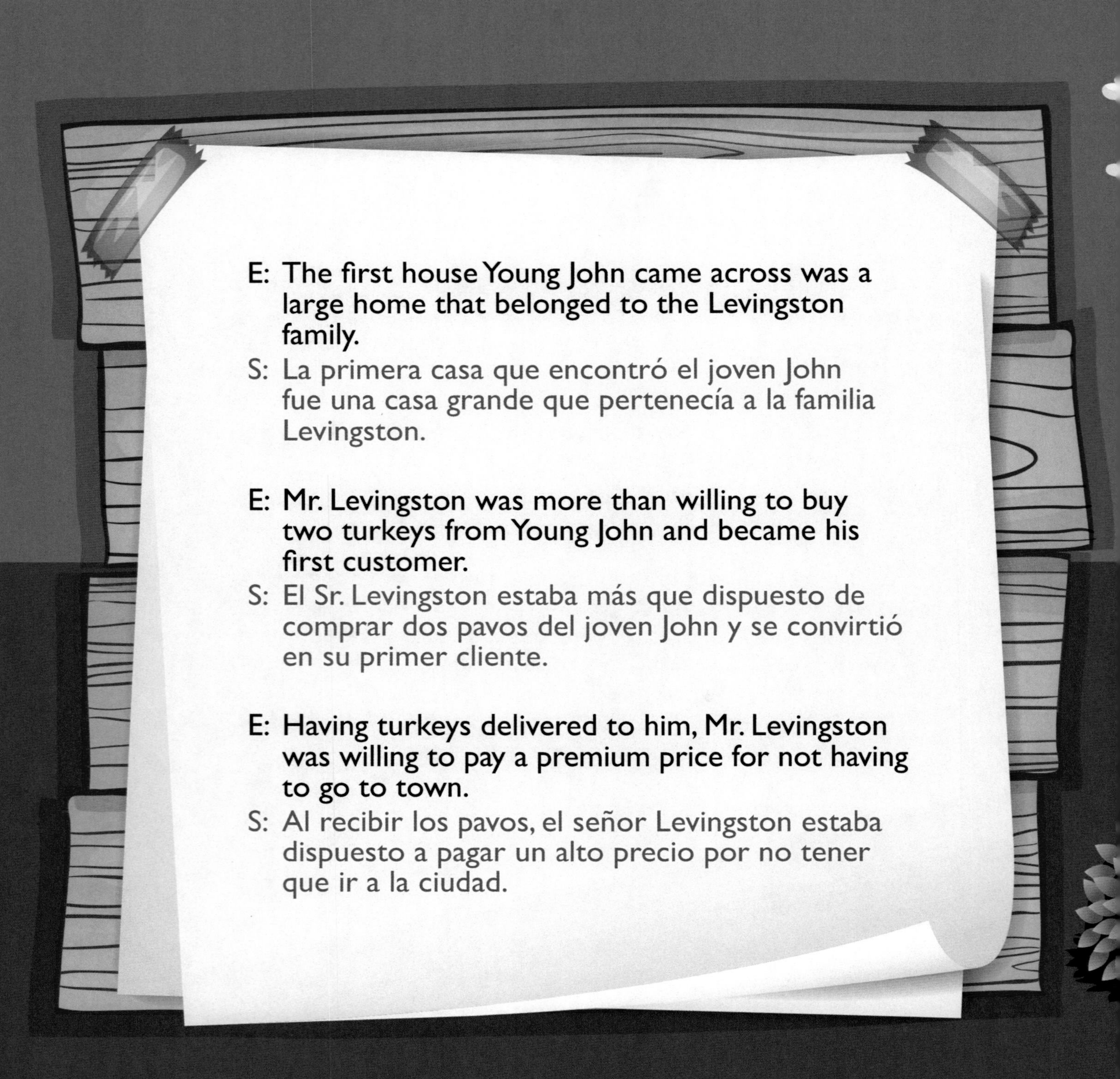

E: The first house Young John came across was a large home that belonged to the Levingston family.

S: La primera casa que encontró el joven John fue una casa grande que pertenecía a la familia Levingston.

E: Mr. Levingston was more than willing to buy two turkeys from Young John and became his first customer.

S: El Sr. Levingston estaba más que dispuesto de comprar dos pavos del joven John y se convirtió en su primer cliente.

E: Having turkeys delivered to him, Mr. Levingston was willing to pay a premium price for not having to go to town.

S: Al recibir los pavos, el señor Levingston estaba dispuesto a pagar un alto precio por no tener que ir a la ciudad.

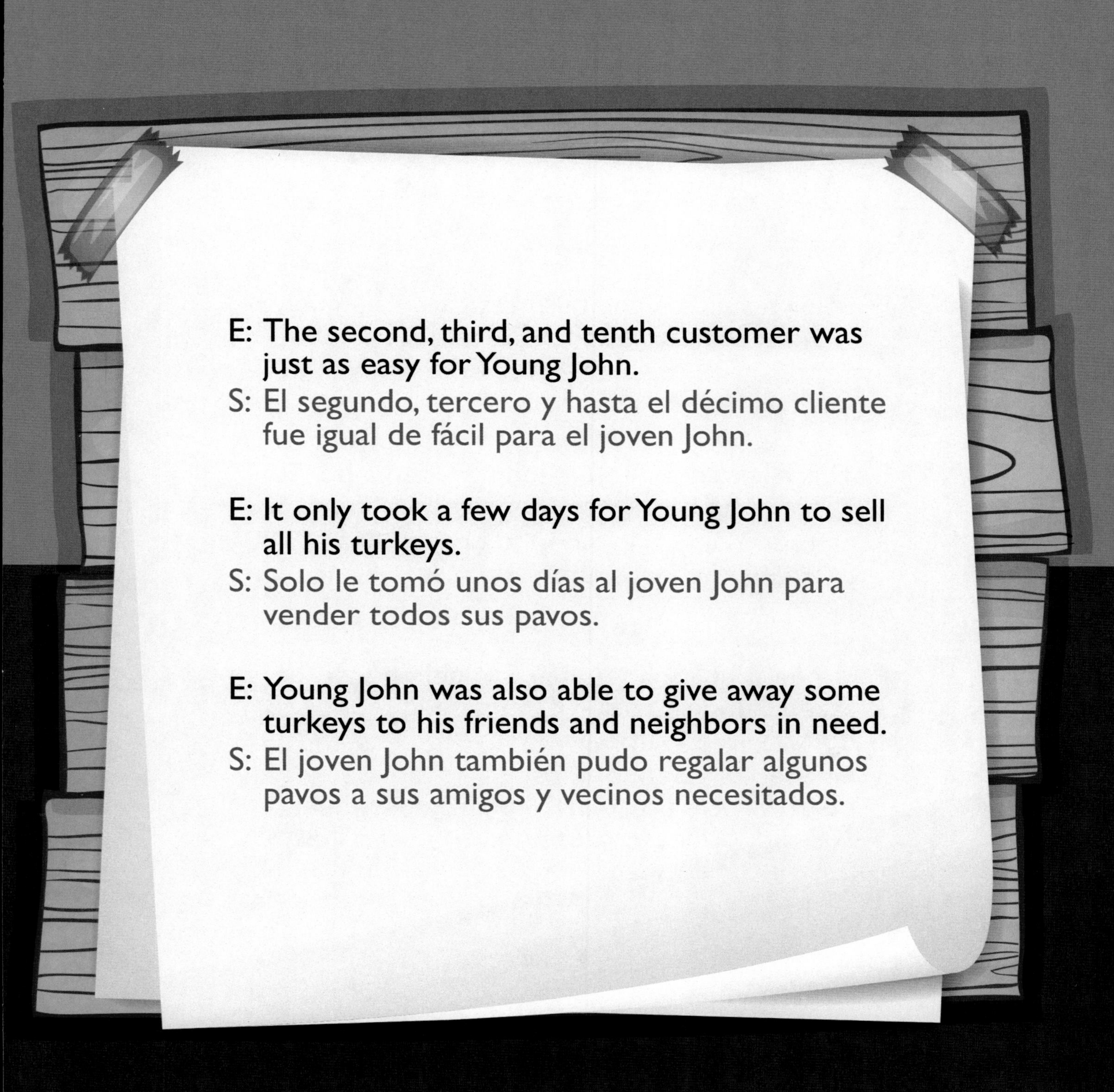

E: The second, third, and tenth customer was just as easy for Young John.
S: El segundo, tercero y hasta el décimo cliente fue igual de fácil para el joven John.

E: It only took a few days for Young John to sell all his turkeys.
S: Solo le tomó unos días al joven John para vender todos sus pavos.

E: Young John was also able to give away some turkeys to his friends and neighbors in need.
S: El joven John también pudo regalar algunos pavos a sus amigos y vecinos necesitados.

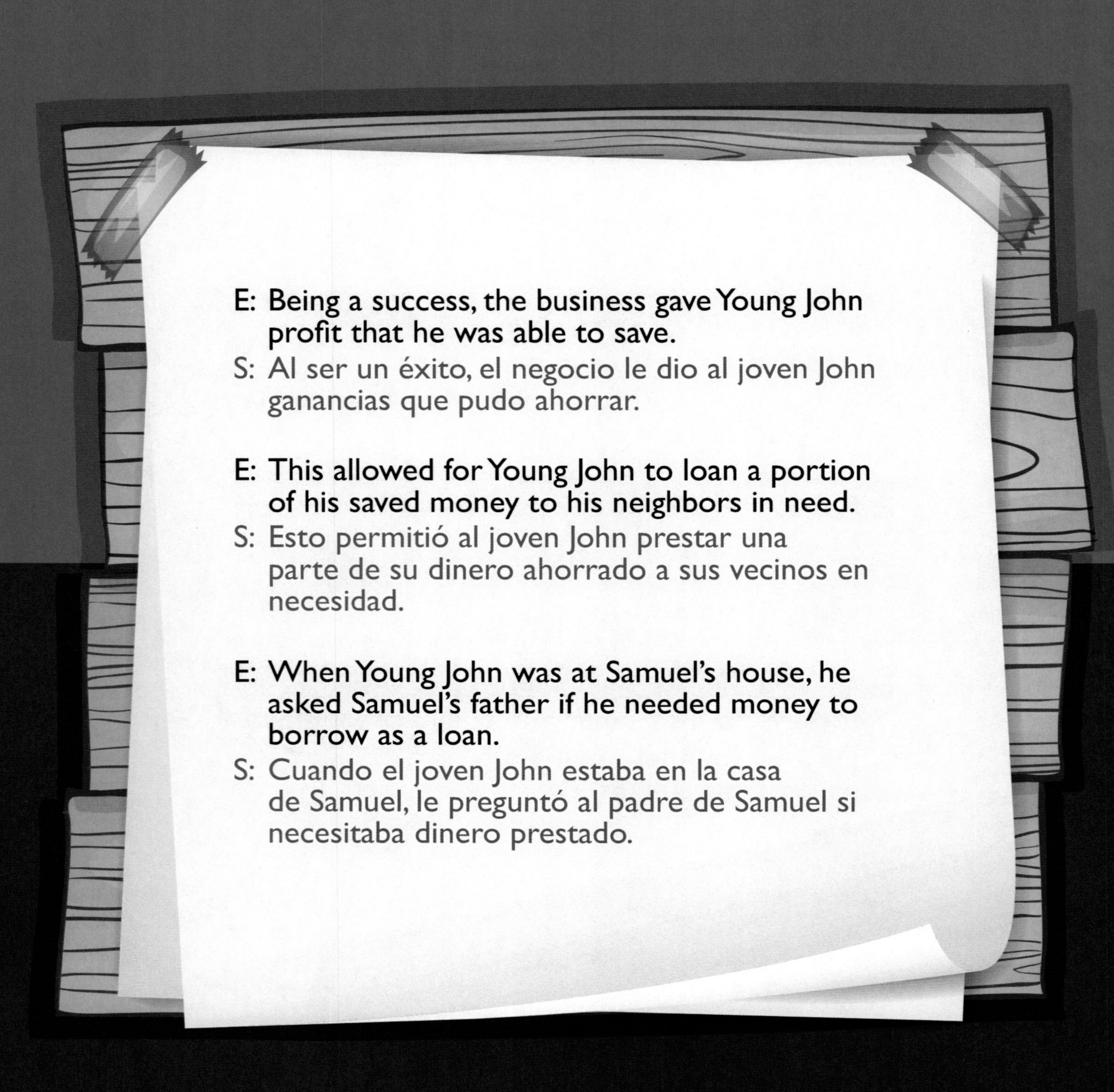

E: Being a success, the business gave Young John profit that he was able to save.

S: Al ser un éxito, el negocio le dio al joven John ganancias que pudo ahorrar.

E: This allowed for Young John to loan a portion of his saved money to his neighbors in need.

S: Esto permitió al joven John prestar una parte de su dinero ahorrado a sus vecinos en necesidad.

E: When Young John was at Samuel's house, he asked Samuel's father if he needed money to borrow as a loan.

S: Cuando el joven John estaba en la casa de Samuel, le preguntó al padre de Samuel si necesitaba dinero prestado.

$100,000

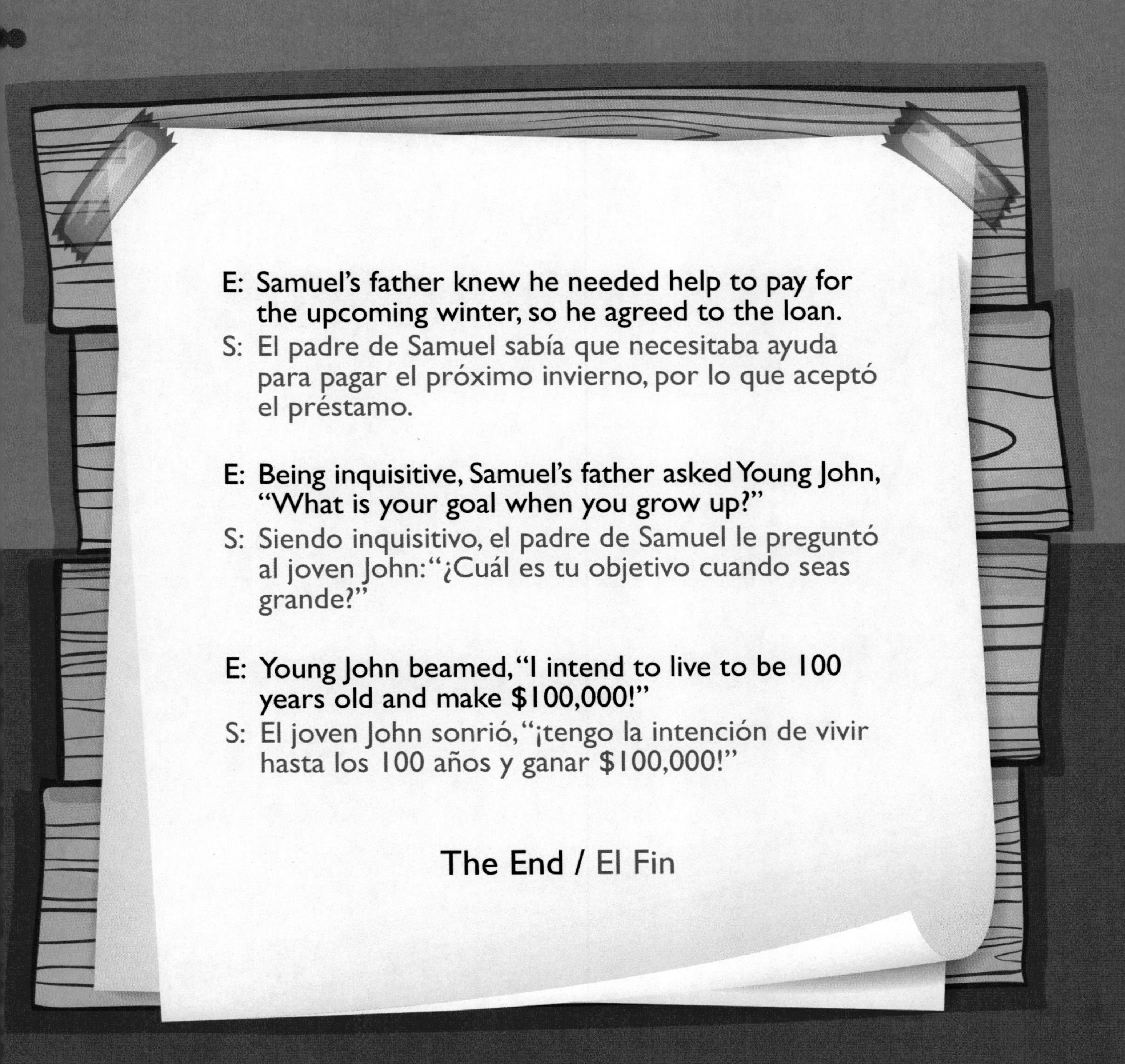

E: Samuel's father knew he needed help to pay for the upcoming winter, so he agreed to the loan.

S: El padre de Samuel sabía que necesitaba ayuda para pagar el próximo invierno, por lo que aceptó el préstamo.

E: Being inquisitive, Samuel's father asked Young John, "What is your goal when you grow up?"

S: Siendo inquisitivo, el padre de Samuel le preguntó al joven John: "¿Cuál es tu objetivo cuando seas grande?"

E: Young John beamed, "I intend to live to be 100 years old and make $100,000!"

S: El joven John sonrió, "¡tengo la intención de vivir hasta los 100 años y ganar $100,000!"

The End / El Fin

CHECK OUT
Our Bilingual Series

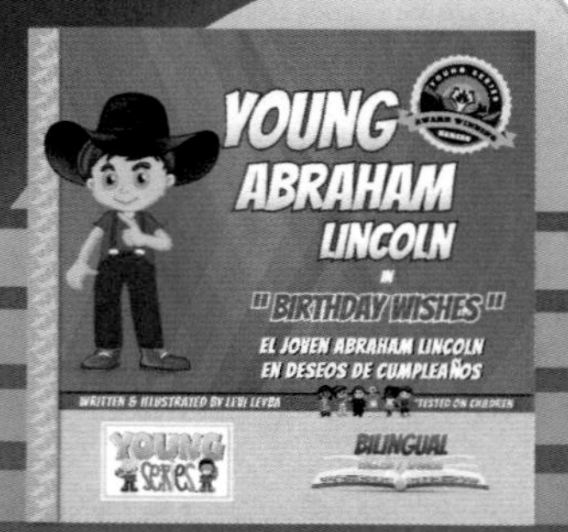

Made in the USA
Monee, IL
14 January 2024